深见春夫

魔法图画书系列

了不起的面包怪

[日]深见春夫 著/绘

彭　懿 译

電子工業出版社
Publishing House of Electronics Industry
北京·BEIJING

版权贸易合同登记号　图字：01-2017-6984

图书在版编目（CIP）数据

深见春夫魔法图画书系列. 了不起的面包怪 /（日）深见春夫著绘；彭懿译. -北京：电子工业出版社，2018.3
ISBN 978-7-121-33295-1

Ⅰ. ①深…　Ⅱ. ①深…　②彭…　Ⅲ. ①儿童故事-图画故事-日本-现代　Ⅳ. ① I313.85

中国版本图书馆CIP数据核字（2017）第309753号

策划编辑：王　丹
责任编辑：王树伟
特约编辑：刘红涛
印　　刷：北京捷迅佳彩印刷有限公司
装　　订：北京捷迅佳彩印刷有限公司
出版发行：电子工业出版社
　　　　　北京市海淀区万寿路173信箱　邮编：100036
开　　本：787×1092　1/12　印张：15　字数：162千字
版　　次：2018年3月第1版
印　　次：2020年4月第15次印刷
定　　价：99.00元（全5册）

凡所购买电子工业出版社图书有缺损问题，请向购买书店调换。若书店售缺，请与本社发行部联系，联系及邮购电话：（010）88254888，88258888。
质量投诉请发邮件至zlts@phei.com.cn，盗版侵权举报请发邮件至dbqq@phei.com.cn。
本书咨询联系方式：（010）88254161转1823。

了不起的面包怪

一群面包怪从隧道里钻了出来。

它们来到了公园里。
“哇，面包怪！”孩子们吃了一惊。
“来，坐上来吧，我们带你们去面包王国。”面包怪说。

于是，孩子们坐到了面包怪身上，升上了高高的天空。

面包怪带着孩子们
钻进了一朵大云彩里。

云彩里面居然是一个面包王国！

孩子们从面包怪身上下来，迫不及待地跟面包动物们玩了起来。

脸蛋面包们来了。
“嗨，你们好。”
“你们好。”
“我们的脸蛋可舒服了。”

“真的，可舒服了。”

脸蛋面包们和孩子们脸蛋贴着脸蛋，
手拉着手，跳起了舞。

咕噜，翻了一个跟斗。

“你们可要小心怪兽啊！”

面包怪又带孩子们来到了面包森林。
森林里的面包妖怪哧溜哧溜地舔起了孩子们。

“哎呀！”

不过它们的舌头软乎乎的，可舒服了。

孩子们刚走出面包森林，这时，一架抓斗直升机从天上落了下来。

抓斗抓住了其中一个小孩。

然后，它就开足马力逃跑了。
面包怪追了上去。

原来是一个怪兽在用遥控器操纵直升机。
“哟，你们来了！我一直在等你们呢。”怪兽说。

怪兽让孩子们坐在桌子边。

“这些都是非常好吃的面包。不要客气，请吃吧。”怪兽说。

孩子们便吃起了面包。

这里有各种各样的面包。

螃蟹面包

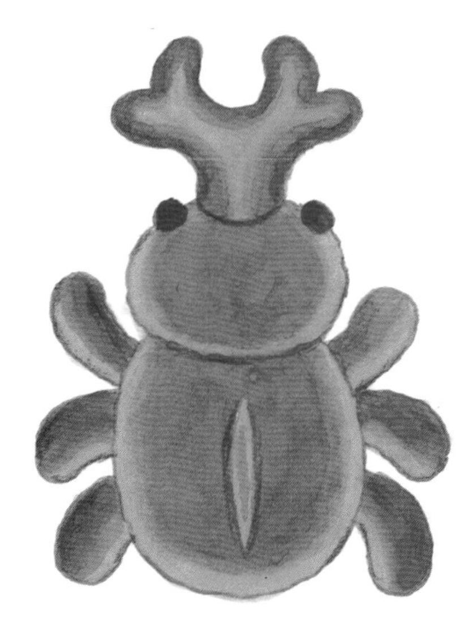

独角仙面包

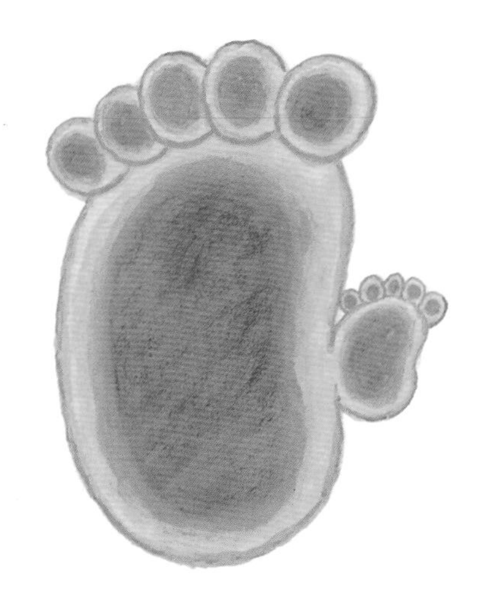

脚丫面包

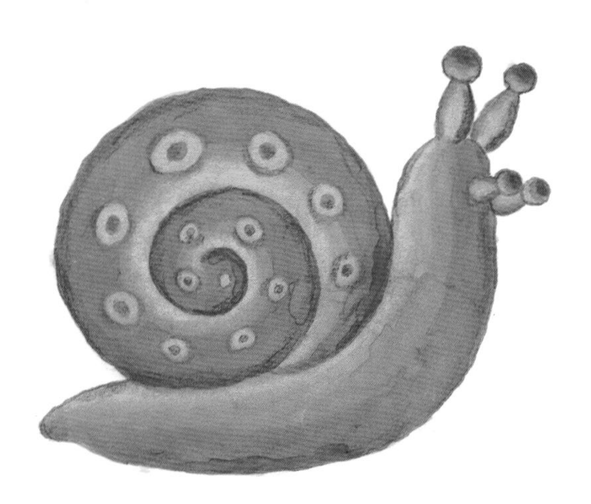

蜗牛杏仁面包

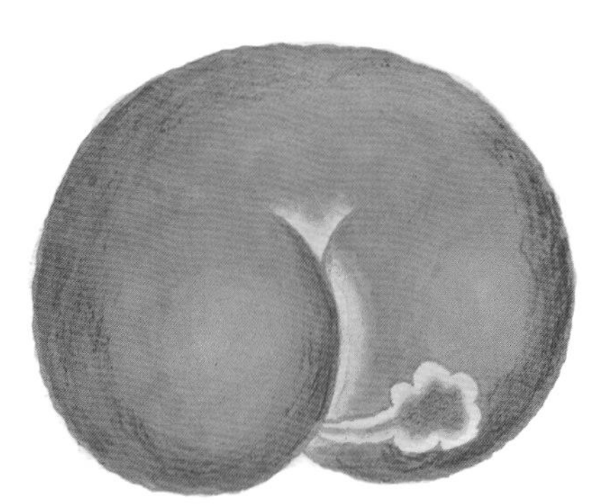

放屁面包

骨架面包

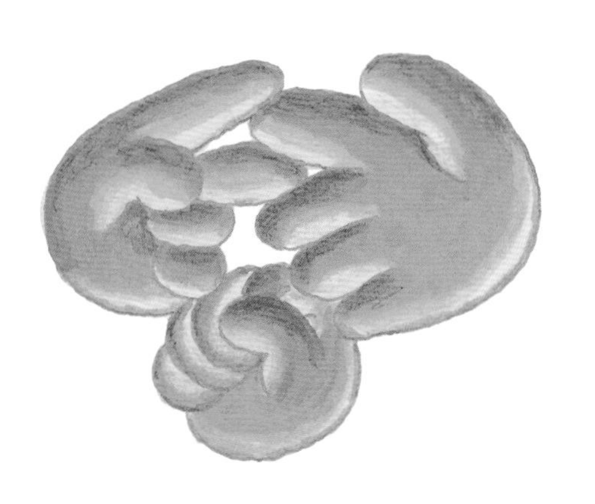

石头剪刀布面包

小蛇面包

注射器面包

猪鼻甜甜圈

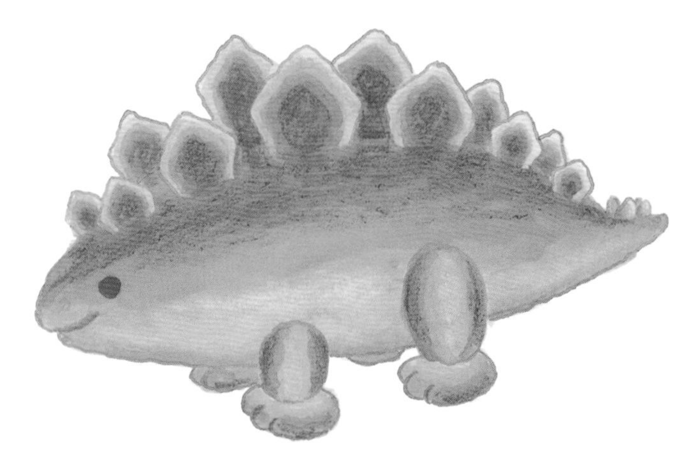

剑龙面包

哭脸面包

毛毛虫面包

不管哪一种面包，都非常好吃。
孩子们全吃得饱饱的。

等孩子们吃完了面包，怪兽说：“接下来，轮到我吃你们了。”

说完，怪兽就把孩子们吃到肚子里去了。

然后，按了一下肚脐眼儿按钮。

孩子们“嗖”的一声就从怪兽头上的烟囱里飞了出来。

面包怪迅速接住了落下来的孩子们。
接得好!

“怪兽，谢谢你那些好吃的面包。”
“不客气。”

最后，面包怪把孩子们送回了公园里。
孩子们一下来，面包怪就消失在天空那边了。

深见春夫，1937 年出生于东京，“二战”之后和平环境下成长起来的第一批绘本大家之一，其鲜明的个性化创作在绘本界享有较高声誉。他深谙儿童心理，以令人叹服的想象力、幽默感和稚拙浑然的笔触描绘出孩子眼中千奇百怪又变幻无穷的大千世界，深刻反映了儿童的生活现实和心理现实，同时也寄托了作者童年时期对美好与和平的无限向往，被称为“荒诞儿童文学第一人”。深见春夫创作了数十部畅销经典，影响了日本两代人。他有多部作品入选日本全国学校图书馆协会和日本图书馆协会推荐书目。

其代表作有《深见春夫“想得美”图画书系列》《深见春夫“睡得香”图画书系列》等。

彭懿，先后毕业于复旦大学、日本东京学艺大学及上海师范大学，教育学硕士、文学博士，著名儿童文学作家、翻译家、儿童文学理论研究者。主要学术著作有:《世界图画书:阅读与经典》《世界儿童文学:阅读与经典》《幻想文学:阅读与经典》《图画书应该这样读》等。《妖怪山》《不要和青蛙跳绳》《巴夭人的孩子》《精灵鸟婆婆》《红菇娘》《萤火虫女孩》是他新近创作的绘本。

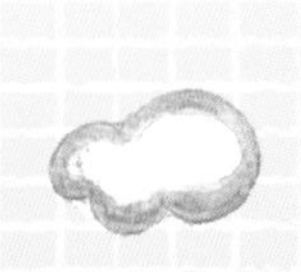